WALT DISNEY

Susi und
STROLCH

EGMONT

Am Weihnachtsabend fiel der Schnee auf einen vornehmen Stadtteil Londons. Die Fenster eines herrschaftlichen Hauses waren hell erleuchtet. Kerzen in den Fenstern und die weihnachtlich geschmückten Bäume verbreiteten eine festliche Stimmung.

Unter dem glitzernden Weihnachtsbaum lagen Berge von Geschenken, die mit bunten Schleifen verziert waren.

„Ich hoffe, es gefällt dir, Darling", sagte Jim und überreichte seiner Frau das größte der Pakete. Als sie es öffnete, hob ein niedliches kleines Hündchen seinen Kopf über den Rand der Schachtel.

„Ist der aber süß!", rief Darling.

„Das ist eine sie", berichtigte sie Jim. „Ihr Name ist Susi!"

Susi wuchs heran und wurde bald zum Mittelpunkt der Familie. Jim und Darling verwöhnten und verhätschelten sie und ließen sie sogar in ihrem Schlafzimmer schlafen. Dafür brachte Susi ihrem Herrchen die Zeitung und seine Hausschuhe und bewachte das Haus und den Goldfisch.

Im Garten, wo sie ihre Knochen vergrub, ver-
scheuchte Susi die Spatzen. Sie liebte es, hinter den
Vögeln herzujagen, die dort umherflatterten.

„Wau! Wau!", bellte sie. „Zwitschert woanders weiter, sonst weckt ihr noch alle im Haus auf!"

Als sie ein halbes Jahr alt wurde, bekam Susi ein wunder-
schönes Halsband geschenkt. Auf einer goldenen Plakette
waren ihr Name und ihre Adresse eingraviert. Stolz präsen-
tierte Susi das Geschenk ihren Freunden Jock und Pluto.

Jock war klein und dunkelhaarig und Pluto ein großer
Hund mit langen Schlappohren. In seiner Jugend war Pluto
ein berühmter Polizeihund gewesen, doch mit den Jahren
hatte sein Geruchssinn sehr nachgelassen.

Doch nicht alle Hunde waren so
glücklich wie Susi, Jock und Pluto,
die ein schönes Zuhause hatten. Viele
lebten auf der Straße und wurden von
den Hundefängern gejagt. Aber zum
Glück hatten sie einen guten Freund, der
ihnen immer wieder zu Hilfe eilte und sie
befreite. „Vielen Dank, Strolch!", riefen sie,
als sie vom Wagen des Hundefängers sprangen.

Eines Tages war Susi sehr traurig. Seit Tagen hatte Jim sie nicht beachtet, ihr nicht einmal den Kopf getätschelt.

„Darling strickt nur noch die ganze Zeit", erzählte Susi ihren Freunden. „Sie geht nicht mehr mit mir spazieren und redet immer davon, dass sie ein freudiges Ereignis erwartet. Wisst ihr, was sie damit meint?"

„Nun ... ähm ...", druckste Jock verlegen herum. Als er noch nach den richtigen Worten für eine Erklärung suchte, gesellte Strolch sich zu ihnen.

„Dann kannst du die saftigen Fleischstücke und dein kuscheliges Körbchen vor dem Kaminfeuer vergessen", sagte Strolch, als er Susis traurige Geschichte gehört hatte. „Dein Frauchen bekommt ein Baby und das bedeutet Ärger für dich. Bereite dich schon mal auf Hundefutter und die Hundehütte vor!"

„Hör nicht auf diesen Streuner, Susi", sagten Jock und Pluto. „So etwas kann dir nicht passieren!"

„Wenn ein Baby ins Haus einzieht, zieht der Hund aus", fuhr Strolch fort. „Das ist nun mal die traurige Wahrheit!"

Eines Nachts überstürzten sich
die Ereignisse. Jim rannte nervös
vor Darlings Schlafzimmer auf und
ab. Als der Arzt aus dem Zimmer
kam, lief Jim auf ihn zu und packte
ihn an den Schultern.

„Und? Und?", rief Jim aufgeregt.

„Es ist alles in Ordnung", sagte
der Arzt. „Sie haben einen gesun-
den Sohn!"

Susi verstand immer noch nicht,
was eigentlich los war. Was war
dieses Baby, von dem alle die
ganze Zeit sprachen?'

Später standen alle um die Wiege herum ... auch
Susi, die das Baby hinreißend fand. „Ich bin sicher,
dass wir gut miteinander auskommen werden",
dachte sie, als sie das kleine Wesen betrachtete.

Jock und Pluto hatten Recht gehabt. Sie würden alle eine große, glückliche Familie sein. „Der Streuner hat sich geirrt", dachte Susi. „Nichts hat sich geändert!"

Einige Monate später beschlossen Jim und Darling zu verreisen und Tante Klara kam, um sich um das Baby zu kümmern. Susi fand, dass sie nicht besonders freundlich aussah. Sie hatte eine strenge Stimme und ein spitzes Gesicht und sie trug einen Korb bei sich.

„Mach dir keine Sorgen, Susi", sagte Jim. „In ein paar Tagen sind wir wieder hier!"

23

In dem Korb hatte Tante Klara ihre beiden Siam-
katzen Si und Am mitgebracht. Susi hatte noch nie so
nahen Kontakt mit Katzen gehabt und die beiden
sahen nicht sehr freundlich aus. Doch sie nahm ihren
ganzen Mut zusammen und stellte sich ihnen vor.

„Hallo, mein Name ist Susi", sagte sie.

„Ssss!", fauchten die Katzen unfreundlich.

„Oh! Hoffentlich bleiben die nicht allzu lange hier",
dachte Susi. Sie war sich nicht sicher, ob sie mit Tante
Klara und ihren Katzen auskommen würde.

Die Katzen begannen sofort das ganze Haus auf den Kopf zu stellen. Zuerst fielen sie über den Vogelkäfig her und hätten um ein Haar den Kanarienvogel aufgefressen. Danach versuchten sie an Goldie, den Goldfisch, heranzukommen. „Wenn wir ganz vorsichtig ziehen", zischte Si, „gibt es heute Fisch zum Abendessen!" Sie zogen an einem Ende des Tischtuchs, während Susi mit aller Kraft am anderen Ende zerrte, um es festzuhalten. Doch das Goldfischglas fiel auf den Boden und Susi konnte die Katzen gerade noch daran hindern, sich Goldie zu schnappen.

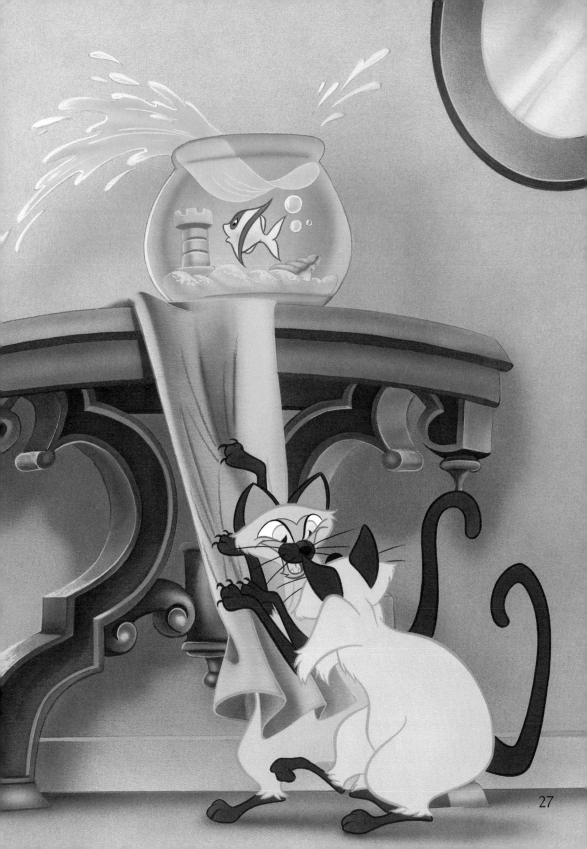

„Was ist denn hier los?", rief Tante Klara, als sie das Durcheinander sah. „Das war bestimmt dieser unmögliche Hund!"

Si und Am wälzten sich auf dem Boden und taten so, als hätte Susi sie angegriffen.

„Böser Hund!", schimpfte Tante Klara mit Susi. „Keine Angst, meine Süßen. Ich werde dafür sorgen, dass er euch nichts mehr tun kann!" Mit diesen Worten trug Tante Klara die Katzen in ihr Zimmer.

Um Susi zu bestrafen ging Tante Klara mit ihr in eine Tierhandlung und ließ ihr einen Maulkorb anlegen. Als der Verkäufer Susi das grässliche Ding über den Kopf streifte, wehrte sie sich und versuchte davonzulaufen.

„Halt gefälligst still!", schimpfte der Verkäufer.

Susi versuchte den Maulkorb abzustreifen, doch vergebens. Sie war gefangen!

Voller Panik floh Susi aus der Tierhandlung und
rannte davon, ohne auf den Weg zu achten. Sie war so
verängstigt, dass sie nicht einmal die vielen Kutschen
und Autos bemerkte, die auf der Straße unterwegs waren.

Susi lief, so schnell sie konnte. „Ich muss weg von dieser schrecklichen Tante Klara", dachte sie bei sich. In ihrer Panik rannte sie direkt vor ein großes Pferdefuhrwerk und wurde beinahe überfahren.

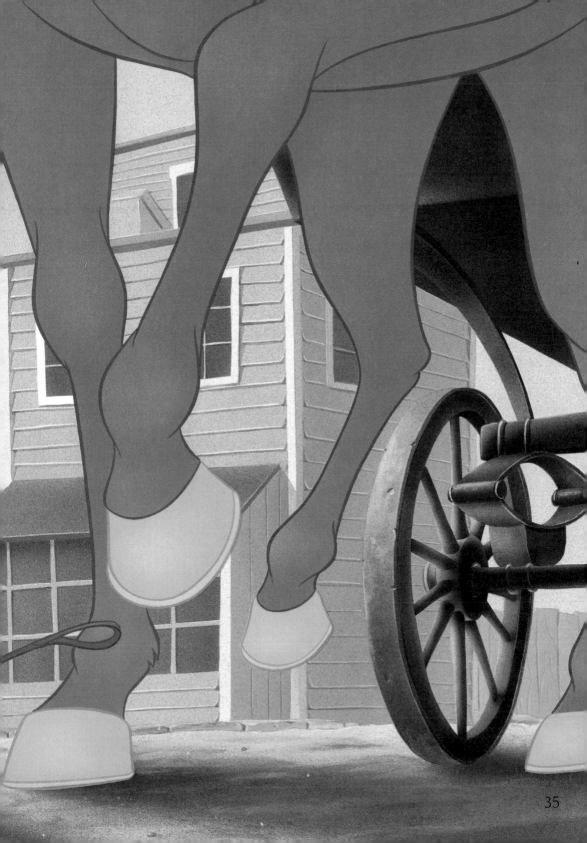

Auf ihrer Flucht gelangte Susi schließlich
in ein heruntergekommenes Stadtviertel.
Dort begegnete sie einer Bande gemeiner
Straßenhunde, die sie durch die Straßen und
Gassen verfolgten.

„Was ist denn das für
ein Spektakel?", dachte
Strolch, als er den Lärm
hörte. „Es hört sich an,
als bräuchte jemand
meine Hilfe!"

Obwohl er allein war, stürzte sich Strolch auf Susis
Angreifer und schlug sie bellend und um sich beißend
in die Flucht.

„Haut bloß ab, bevor ich wirklich wütend werde",
knurrte er.

„Verschwindet!"

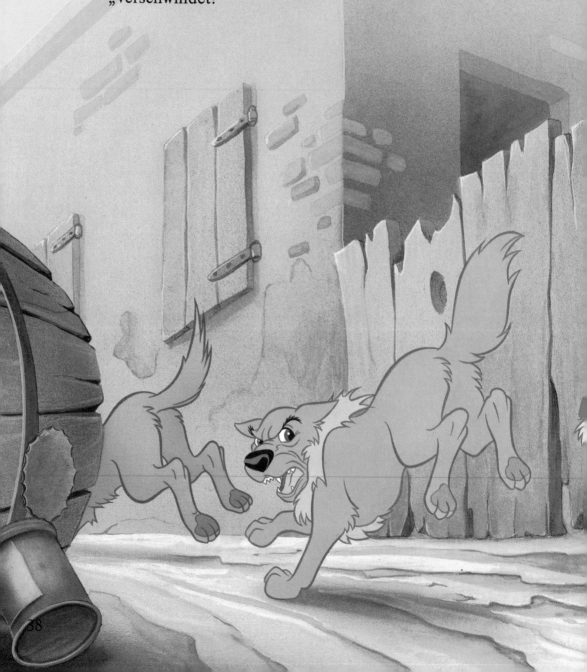

Die Straßenköter waren lange nicht so
mutig, wie sie taten. Sie zogen die Schwänze
ein und suchten das Weite.

„Keine Angst, mein Püppchen. Jetzt bist du in Sicherheit", sagte Strolch sanft. „Haben wir uns nicht schon mal irgendwo gesehen?"

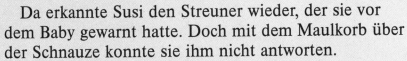

Da erkannte Susi den Streuner wieder, der sie vor
dem Baby gewarnt hatte. Doch mit dem Maulkorb über
der Schnauze konnte sie ihm nicht antworten.

„Wer kann denn so gemein sein und einem kleinen,
süßen Ding wie dir einen Maulkorb verpassen?",
fragte Strolch empört.

Susi war sehr niedergeschlagen, aber sie vertraute ihrem neuen Freund, der sie gerettet hatte.

„Komm!", sagte Strolch. „Ich weiß, wie du dieses scheußliche Ding loswerden kannst!"

Er führte Susi zum Zoo. Doch am Eingang stand auf einem Schild „Für Hunde verboten", und ein Polizist ging davor auf und ab.

„Kein Problem, Püppchen", sagte Strolch. „Wir finden schon einen Weg, wie wir hineinkommen können!"

Im Zoo lebten Tierarten, die Susi noch nie
gesehen hatte, und viele hatten große, rasier-
messerscharfe Zähne. Ein heimtückisches
Krokodil erklärte sich sofort bereit den
Maulkorb abzubeißen, doch Strolch rettete
Susi in letzter Sekunde. Anschließend kamen
sie am Käfig einer Hyäne vorbei, die lachte
und lachte und gar nicht mehr damit auf-
hören konnte.

„Hier ist der Experte, den wir brauchen", erklärte Strolch, als sie einen Biber erblickten, der gerade dabei war, einen dicken Baumstamm für seinen Damm durchzunagen. Strolch beglückwünschte ihn zu seiner Arbeit und erzählte ihm, er hätte da etwas, das ihm den Transport der Stämme erleichtern würde.

Nachdem der Biber Susi von dem Maulkorb befreit hatte, erklärte ihm Strolch, wie er damit die Baumstämme ziehen konnte. Susi war gern bereit dem Biber den Maulkorb zu überlassen. „Behalte ihn ruhig", sagte sie. „Du kannst ihn besser brauchen als ich!"

Um Susis neu gewonnene Freiheit zu feiern führte
Strolch sie in den Hinterhof eines italienischen
Restaurants, das seinem Freund Toni gehörte.

„Hallo, alter Junge!", rief Toni, als er Strolch
erblickte. „Schön, dich zu sehen. Und wer ist dieses
bezaubernde Hundefräulein? Wohl deine Verlobte,
wie?", fragte Toni und Susi wurde rot vor Verlegenheit.
Dann forderte Toni Strolch auf, mit seiner reizenden
Freundin an einem Tisch Platz zu nehmen.

„Hier sind die besten Spaghetti mit Fleischbällchen der ganzen Stadt für dich und deinen Schatz", sagte Toni. Susi war hingerissen. Sie hatte nie zuvor in einem Restaurant gegessen.

Dann sangen Toni und sein Koch auch noch eine italienische Serenade für sie und spielten dazu auf einem Akkordeon und einer Mandoline. „Ist die Musik nicht wundervoll?", fragte Susi verträumt.

Es wurde ein richtig romantischer Abend. Susi und Strolch waren sehr glücklich, und ehe sie wussten wie ihnen geschah, hatten sie sich bis über beide Ohren ineinander verliebt. Nach dem Essen machten sie einen Spaziergang im Park.

„Danke für diesen wunderschönen Abend, Strolch",
sagte Susi.

„Es war mir ein Vergnügen, Püppchen", erwiderte er.

Mit Strolch an ihrer Seite schlief Susi im weichen,
duftenden Gras bald tief und fest.

Auf einem Hügel blickten sie hinauf zum Sternen-
himmel, während der Vollmond die Stadt unter ihnen
in ein silbernes Licht tauchte.

Nach Sonnenaufgang erinnerte Susi sich daran, dass
sie versprochen hatte auf das Baby aufzupassen. Strolch
wunderte sich. „Ist das wirklich das Leben, das du dir
wünschst?", fragte er. „Mit einer Leine ausgeführt werden?
Wo bleibt dein Sinn für Abenteuer?"

Als sie kurz darauf an einem Hühnerhof vorbeikamen,
sagte Strolch: „Na los, Püppchen! Lass uns Hühner jagen!"
Er buddelte sich unter dem Zaun durch und Susi folgte ihm,
obwohl ihr gar nicht wohl dabei war.

Die Hühner flatterten in panischer Angst hin und her wie ... nun ja, wie aufgeschreckte Hühner eben! „Peng! Peng!" Plötzlich hörten sie Gewehrschüsse. Es war der Besitzer des Hühnerhofs, der auf die beiden Hunde schoss.

„Lass uns von hier verschwinden!", rief Strolch
und lief zu dem Loch unter dem Zaun. „Die Party ist
vorbei!"

Als Strolch stehen blieb, um nach Susi zu
schauen, konnte er sie nirgends entdecken.
„Wo kann sie nur sein?", rief er. „Eben war sie
doch noch dicht hinter mir!"

Von Strolch allein gelassen sah sich Susi bald
darauf als Gefangene in einem Zwinger des Hunde-
asyls und weinte sich fast die Augen aus. Auch die
anderen Hunde waren traurig, weil man sie gefangen
und eingesperrt hatte. Es war ein bunt gemischter
Haufen, aber alle hatten ein Herz aus Gold. Sie
versuchten Susi zu trösten und erzählten ihr alles
über Strolch.

„Mach dir keine Sorgen, Schätzchen", sagte Peggy,
eine von Susis Zellengenossinnen. „Du bist viel zu fein
für diesen Ort und wirst bald wieder draußen sein!"
Peggy behielt tatsächlich Recht. Schon bald kam ein
Wärter um Susi zu holen und nach Hause zu bringen.
„So ein süßes Hündchen gehört nicht hierher", sagte
er, als er sie auf den Arm nahm.

„Auf Wiedersehen!", riefen die anderen
Hunde und winkten ihr zum Abschied
nach. „Vergiss uns nicht und grüß
Strolch von uns!"

Doch zu Hause war Susi wieder eine Gefangene. Tante Klara kettete sie an die Hundehütte. Jock und Pluto kamen vorbei um sie zu trösten, aber Susi war so todunglücklich, dass nichts sie aufheitern konnte. „Ich möchte allein sein", sagte Susi. Sie schämte sich für das, was mit ihr passiert war, und wollte mit niemandem darüber reden.

Da tauchte plötzlich Strolch mit einem großen
Knochen im Maul auf. „Hallo, Püppchen", sagte er.
„Ich wollte dir diesen Knochen bringen und ..."
Doch Susi war wütend und drehte ihm den Rücken
zu. „Das ist alles deine Schuld", sagte sie.

„Aber was hast
du denn, Püppchen?",
fragte Strolch
verblüfft.

„Ich möchte dich niemals wieder sehen", sagte Susi böse. Strolch hatten Susis harte Worte sehr verletzt.

„Was hat sie nur gegen mich?", dachte er. „Ich habe ihr doch nichts Böses getan!"

Die Wahrheit war, dass Susi sich wegen ihrer schlimmen Erfahrung im Hundeasyl ärgerte, ganz zu schweigen von den Geschichten, die ihr die Hunde dort über Strolchs vorherige Freundinnen erzählt hatten.

Weil Susi ihm die kalte Schulter zeigte, schlich
Strolch niedergeschlagen davon. Er fühlte sich zu
Unrecht beschuldigt. „Wie kann ich ihr nur
beweisen, dass ich sie nicht im Stich lassen wollte?",
grübelte er. „Was kann ich tun, damit sie sieht, wie
sehr ich sie mag?"

Als Susi in dieser Nacht weinend in ihrer Hundehütte lag, fragte sie sich, ob Jim und Darling wohl
jemals wieder nach Hause kommen würden. Sie war so
in ihre Gedanken versunken, dass sie die große Ratte
nicht bemerkte, die aus der Dunkelheit auftauchte und
auf das Haus zulief.

Die Ratte kletterte an der Hauswand hinauf, lief über das Dach und verschwand durch das Fenster des Kinderzimmers.

„Wau! Wau!", bellte Susi, die gerade noch gesehen hatte, wie die Ratte im Haus verschwunden war. „Komm da sofort wieder raus!"

Tante Klara erschien am Fenster ihres Schlafzimmers. „Wirst du wohl still sein!", schrie sie Susi an. „Was bist du nur für ein ungezogener Hund!"

Doch Susi bellte weiter, so laut sie konnte.

Strolch, der ganz in der Nähe war, erkannte an ihrer
Stimme, dass es Susi war, die da so verzweifelt bellte.
„Ich muss nachschauen, was los ist", dachte er und lief
zu Susis Hundehütte.

„Eine große Ratte ist in das Kinderzimmer
eingedrungen!", rief Susi, als sie Strolch erblickte.

„Keine Sorge", beruhigte er sie. „Ich werde mich darum
kümmern!" Strolch stürmte ins Haus und in das Kinderzimmer, wo die Ratte sich unter der Wiege versteckt hatte.

Mit einem Sprung war die Ratte auf dem Rand der Wiege und wollte sich auf das Baby stürzen. Rasend vor Wut ging Strolch zum Angriff über und jagte sie unter einen Sessel, wo sie sich in Sicherheit glaubte.

Doch Strolch setzte ihr nach und lieferte sich einen erbitterten Kampf mit der angriffslustigen Ratte.

Susi hatte große Angst um das Baby ...
und um Strolch und bellte, so laut sie konnte.
„Ich muss dem Baby helfen!", dachte sie. Sie
setzte all ihre Kraft ein und konnte sich von
der Hundehütte losreißen. In Windeseile
rannte sie zum Kinderzimmer.

Dort stellte Susi erleichtert fest, dass dem Baby nichts passiert war, und da tauchte auch Strolch hinter dem Sessel auf und leckte sich die Pfoten.

„Alles in Ordnung", sagte er.

„Oh, Strolch!", rief Susi. „Ich bin ja so froh, dass dir nichts passiert ist!"

Im gleichen Moment stürmte Tante Klara ins Zimmer und fuchtelte mit einem Besen vor Strolchs Gesicht herum. „Was macht ihr zwei Köter hier?", schrie sie, ohne die tote Ratte zu bemerken. „Raus mit euch! Jetzt werdet ihr euer blaues Wunder erleben!"

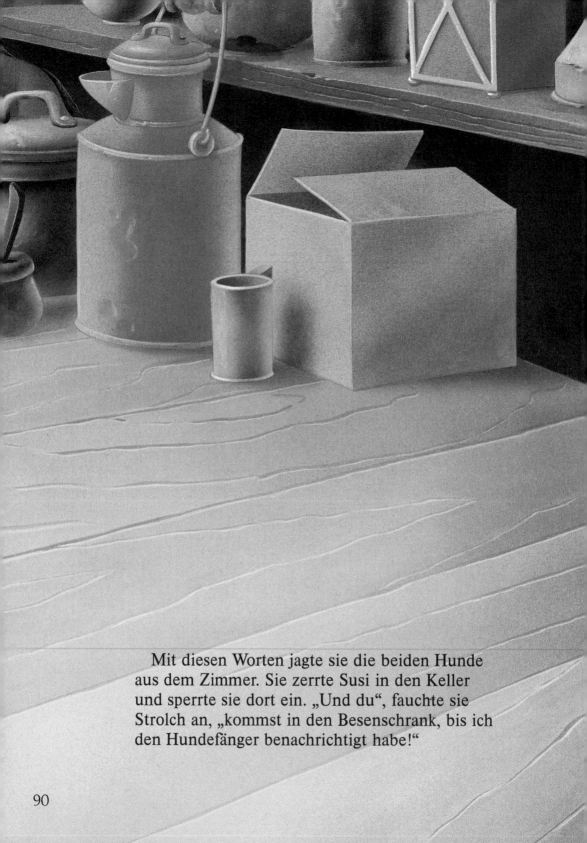

Mit diesen Worten jagte sie die beiden Hunde
aus dem Zimmer. Sie zerrte Susi in den Keller
und sperrte sie dort ein. „Und du", fauchte sie
Strolch an, „kommst in den Besenschrank, bis ich
den Hundefänger benachrichtigt habe!"

Ein wenig später beobachteten Jock und Pluto, wie der Wagen des Hundefängers vorfuhr und Strolch aus dem Haus gezerrt wurde.

„Das geschieht dem Streuner recht", sagte Jock. „Was hatte er auch in so einem vornehmen Haus zu suchen?"

„Ich weiß nicht", meinte Pluto, „aber irgendwas stimmt hier nicht!"

Plötzlich hörten sie jemanden Susis Namen rufen.

Susi war überglücklich. Jim und Darling waren
zurückgekommen! Tante Klara wollte ihnen
erzählen, was für ein unartiger Hund Susi
gewesen war, doch Jim glaubte ihr kein Wort.
Er sah sofort, dass Susi versuchte ihnen
etwas zu erzählen.

„Schau!", sagte er, als Susi bellte
und die Treppe hinauflief.
„Ich glaube, sie möchte,
dass wir mit ihr nach
oben gehen!"

Sie folgten ihr ins Kinderzimmer, wo Susi sofort
begann den Sessel anzubellen.

„Was hast du denn, Susi?", fragten Jim und Darling.
Da entdeckten sie die tote Ratte und erkannten, dass
Susi und Strolch ihr Baby gerettet hatten.

„Braves Mädchen", sagte Jim und tätschelte Susis
Kopf, während Darling das Baby in ihre Arme nahm.
Dann liefen sie alle zur Haustür. „Wir müssen diesen
Hund zurückholen!", rief Jim. „Wir verdanken ihm
das Leben unseres Kindes! Lauf, Susi!"

Auch Jock und Pluto hörten, was passiert war und bekamen ein schlechtes Gewissen, weil sie Strolch unrecht getan hatten.

„Er hat das Baby gerettet", sagte Jock, „und wir haben ihn vorschnell verurteilt."

„Wir müssen ihm helfen", erwiderte Pluto und versuchte die Spur des Hundefängerwagens aufzunehmen. Doch die Straßen waren so regennass und schlammig, dass die Fährte nicht leicht zu finden war.

„Streng dich an, Pluto!", rief Jock. „Du schaffst es, alter Freund!"

In diesem Moment bog der Wagen des Hundefängers um die Ecke. Jock und Pluto liefen hinter ihm her und erschreckten die Pferde, als sie ihn eingeholt hatten. „Pass auf, Pluto!", rief Jock. Doch es war schon zu spät! Der Wagen stürzte um und begrub Pluto unter sich.

Da erschienen auch Jim und Susi. Susi sprang aus
dem Auto und lief auf den Wagen des Hundefängers zu.

„Bist du unverletzt, Strolch?", fragte sie besorgt.
„Mir fehlt nichts", versicherte er ihr.
Susi dachte bei sich: „Strolch mag zwar nur ein
herrenloser Streuner sein, aber ich liebe ihn!"

Jim befreite Strolch aus dem Wagen, doch Pluto
war unter einem Rad eingeklemmt und schien
schwer verletzt zu sein. Jock winselte verzweifelt,
als er seinen Freund ganz reglos daliegen sah. Susi
lief zu den beiden hin und erkannte, dass Pluto
sein Leben riskiert hatte um Strolch zu retten.

„Er braucht einen Arzt", sagte Jock und Pluto
wurde zu einem Tierarzt gebracht.

Der folgende Winter war eisig kalt. Jock zog seinen karierten Mantel an und machte sich mit Pluto, der wegen seines gebrochenen Beines noch immer humpelte, auf den Weg um Susi und Strolch zu besuchen. Die beiden lebten inzwischen zusammen im Haus von Jim und Darling. „Ohne euch, meine Freunde", sagte Strolch mit einem Kloß im Hals, „hätte ich niemals mein Glück gefunden!"

Am nächsten Weihnachtsfest waren Susi und Strolch verheiratet und stolze Eltern von vier süßen Kindern: drei Mädchen, so bezaubernd wie ihre Mutter, und einem Jungen, der das genaue Abbild seines Vaters war. Jock und Pluto feierten gemeinsam mit der glücklichen Familie Weihnachten und Pluto erzählte den Kleinen dieselben Polizeigeschichten, die die anderen schon so oft gehört hatten.

Umgeben von ihren vier Kindern
und dem Baby, machte es Susi und
Strolch nichts aus, sich Plutos
Geschichten noch einmal mit
anzuhören. Es war Weih-
nachten, das Fest der
Liebe, und alle ihre
Träume hatten
sich erfüllt.